AUX QUATRE COINS DU TEMPS

à Louis, Monique, Ghislaine
et Arnaud de Montlaur,
à Bertrand et Geneviève
Ménigault de Raz.
Merci et amicales salutations.

R. Gantès

Histoires vraies d'animaux

Rémi Gantès

Illustrations de
Vincent Collin

Bordas

© Bordas, Paris, 1987

I.S.B.N. 2-04-016873-7

Le renard
du soir

Dans les années 1950, nous avions, dans les Vosges, une maison près de la forêt, où nous allions passer l'été. Un soir, en rentrant d'un dîner, nous aperçûmes, à la lumière des phares de l'auto, un renard devant notre porte ! Il fila aussitôt. Vite, je courus prendre ma carabine et m'élançai vers le poulailler pour défendre la vie des innocentes volailles que nous destinions à notre propre consommation. Je n'avais pas fait dix mètres que je trébuchai et m'étalai par terre dans le noir.

J'entendis alors un bruit de pas légers et rapides qui semblaient danser autour de moi. Diantre ! l'impudent maraudeur songeait-il à profiter de la situation pour m'attaquer ? Sans perdre ma dignité je regagnai la maison à la vitesse du son et me retournai. Le renard s'était arrêté tout au bord du halo de lumière projeté par la lanterne du perron et me regardait en ayant l'air de dire :

– Alors, on ne joue plus ?

Du coup j'abandonnai ma carabine pour prendre mon appareil photographique. L'éclair du flash parut intriguer l'animal. Tiny-Weeny lui lança un bout de gruyère qu'il flaira, ramassa et emporta un peu plus loin. On l'entendit mastiquer quelque temps dans l'obscurité, puis il revint. Quant il eut consommé les trois cents grammes de gruyère que nous avions au garde-manger, nous sommes montés nous coucher en lui souhaitant bonne digestion.

Le lendemain, ayant raconté l'histoire à des amis que nous avions à dîner, nous fûmes, pendant le restant de la soirée, les victimes de leur verve incrédule. Mais en les raccompagnant jusqu'à leur

voiture, nous triomphâmes modestement, car le renard était là et mangea, sous leurs yeux éberlués, un demi-bifteck cru coupé en morceaux.

Il revint tous les soirs et il devint évident qu'il fallait désormais prévoir cette bouche supplémentaire en faisant le marché.

Petit à petit, en rapprochant graduellement la nourriture et en demeurant parfaitement immobiles, assis sur les marches du perron, nous sommes arrivés à lui faire prendre des aliments posés à nos pieds, puis à lui faire prendre des morceaux dans nos mains, enfin à le décider à venir les chercher dans la maison. Malgré tout, il opérait craintivement et le plus vite possible. Jamais il ne s'est laissé caresser. Mais dès qu'il s'éloignait de quelques mètres, il retrouvait son aplomb et paraissait tout à fait à l'aise et confiant. Parfois il mettait sa tête à l'une des fenêtres de la salle de séjour qui était de plain-pied. Comme il n'apparaissait que vers onze heures, il nous arriva un soir d'être montés nous coucher avant sa visite. Alors il se mit à glapir sous nos fenêtres jusqu'à ce que nous soyons redescendus lui servir son repas.

Ainsi passa l'été et vint le temps, pour nous, de préparer notre départ.

— Nous allons lui manquer, observai-je en tendant au renard un morceau de bourguignon.

Tiny-Weeny avait l'air soucieux.

— Je ne crois pas que nous lui ayons rendu service, dit-elle enfin.

— Comment ça ?...

— En l'habituant à fréquenter les humains. Quand nous serons partis, il ira dans les fermes voisines et l'année prochaine nous le retrouverons sur le manteau d'une fermière !

Pensivement je pris ma carabine et la chargeai de petit plomb. Je visai la queue du renard. L'animal fit un bond et fila dans la nuit. Il ne revint plus. Il se sera dit que les hommes sont des fous dangereux qu'il vaut mieux éviter, même s'ils paraissent gentils de prime abord... C'est, du moins, ce que nous espérons.

A cette époque-là de pareilles choses se produisaient quelquefois en France.

Petite tortue
devenue grande

Un jour, au cours d'une promenade en mer au large
de Turtle Bay – la baie de la Tortue –, au Kenya, nous
sommes tombés, à plus de cinq milles de la côte, sur
une minuscule tortue qui flottait au milieu de
l'immensité bleue. Ses yeux étaient encore fermés et

elle était si petite qu'elle n'arrivait pas à plonger.

Il semblait miraculeux qu'elle ait pu échapper aux mouettes qui tournoyaient au-dessus d'elle et devaient la suivre depuis la plage où elle était éclose.

Nous l'avons recueillie à notre bord et ramenée à Turtle Bay où nos amis les Prichard, outre un ravissant petit bar-restaurant sur la mer, possédaient une pieuvre, une guenon, un perroquet, un chat et quelques chiens.

La petite nouvelle fut adoptée avec des cris de joie. On lui aménagea un bac, on la gava d'huîtres et on la combla d'attentions. Tous les jours on l'emmenait nager en mer afin qu'elle n'oublie pas son élément naturel. Quand nous sommes repartis pour la France, quinze jours plus tard, on la nourrissait à la main et on pouvait la manipuler et lui caresser la tête sans l'effaroucher.

Le temps passa et, un second voyage nous ayant ramenés au Kenya, nous sommes allés prendre des nouvelles de notre tortue. Elle avait été relâchée à l'âge où il est convenu qu'une tortue a le droit de vivre sa vie.

Mais on ne l'avait pas perdue pour autant : au large de Turtle Bay, on la rencontrait souvent. Elle se laissait volontiers approcher et caresser par les baigneurs et consentait même, parfois, à leur servir de scooter sous-marin.

La triste histoire
d'une petite guenon
qui buvait

Nouggy, la petite guenon, n'avait qu'un an quand nous l'avons connue. C'était déjà une jeune fille accomplie, joie et orgueil de Ian et Dulcy Prichard, ses parents adoptifs, qui géraient un charmant petit bar-restaurant sur la plage de Turtle Bay, au Kenya.

Nouggy était le rayon de soleil de ce ménage sans

enfant. Chaque matin, assise à califourchon sur les épaules de maman Dulcy, elle partait faire son tour de ski nautique ou pêcher à la traîne. Au bar, elle embrassait affectueusement tous les clients et le soir elle se laissait sagement maquiller pour paraître encore plus belle.

Or voilà qu'un jour, hélas ! Nouggy rencontra un plaisantin qui la fit boire dans son verre, et en moins de trois hoquets, le ver était dans le fruit ! Depuis lors, les habitués ne reconnurent plus leur Nouggette si gentille et polie. Dès qu'une boisson était servie, elle se précipitait et y plongeait le museau. Si le consommateur tentait de défendre son bien, elle le mordait, renversait son verre et lapait avidement le breuvage à même le comptoir. Sa maman la grondait avec une telle indulgence qu'elle n'en faisait aucun cas.

Si bien que chaque jour, sous les yeux d'une assistance sidérée, elle absorbait, de verre en verre, de quoi terrasser le poivrot le plus endurci. Alors, au moment où tout autre se serait écroulé, Nouggy, euphorique, attaquait son numéro de voltiges et de sauts périlleux, en bondissant sur la tête et les épaules des clients.

Bientôt elle pensa améliorer son ballet en

se servant de tout ce qui pouvait traîner sur le bar : paquets de cigarettes, pipes, lunettes, tout était saisi, emporté, lancé à tout vent... Après quoi Nouggy montait dans les solives et faisait ses besoins sur le public.

Dulcy, aveugle comme une mère chouette, ne s'émut que lorsque Nouggy perdit son appétit, commença d'avoir mauvaise haleine et de vomir un peu partout. Ni la quinine ni l'entérovioforme n'eurent raison du mystérieux virus qui minait la santé de l'enfant, et, en désespoir de cause, on la conduisit à l'hôpital vétérinaire de Nairobi, la capitale.

Elle ne revint jamais à Turtle Bay.

Les autorités médicales, après lui avoir fait subir une véritable cure de désintoxication, refusèrent de la rendre aux Prichard jugés indignes. Elle fut confiée à une famille de fermiers anti-alcooliques qui résidaient à l'autre bout du pays.

Les enfants
de No-Name

Les Ghiriamas sont une tribu qui vit sur la côte du Kenya alors que les ghiriamas (sans majuscule) sont une race de chiens dont la distribution s'étend sur le Kenya et la Tanzanie.

Les ghiriamas sont à peine plus grands que des cockers. Avec leur long museau fin et leurs grandes oreilles pointues qu'ils inclinent en tous sens on dirait des caricatures de berger allemand. Une curieuse particularité les distingue des autres chiens : ils n'aboient pas. Les seuls sons qu'ils émettent sont des jappements aigus et déchirants quand ils se battent. Mais comme ils sont d'un naturel pacifique, on ne les entend presque jamais.

Ils sont à peu près inconnus ailleurs qu'en Afrique orientale, quoiqu'il s'agisse d'une véritable race et qu'on en élève quelques-uns, paraît-il, en Grande-Bretagne.

Nous ne connaissons pas les mœurs ni le caractère des ghiriamas d'élevage, mais les naturels, ceux du cru, nous ont laissé un souvenir à la fois amusé et attendri. Leur esprit d'indépendance a dérouté bien des Occidentaux et tous ceux qui en ont eu ont dû admettre que ces chiens ont un côté chat. En fait, il est tout à fait illusoire de parler de *son* ghiriama. Dès qu'il est majeur, il n'appartient plus à personne : il adopte un territoire et les humains qui l'habitent, et se montre affectueux envers ceux qui lui sont sympathiques.

Lorsque nous sommes arrivés à Turtle Bay, No-Name y était déjà depuis un ou deux ans – les gens ne se souvenaient plus très bien. Turtle Bay est une merveilleuse plage où quelques Kenyans de

souche européenne sont venus construire leurs villas blanches au milieu de la verdure. Un îlot rocheux en forme de tortue lui a valu son nom de Turtle Bay : baie de la Tortue. Quant à No-Name (Sans-Nom), on la nommait ainsi parce que personne n'avait pensé à lui en donner un.

Toute petite, elle avait été recueillie par un Anglais dont la nourriture était si épouvantablement britannique qu'elle cessa de prendre ses repas chez lui dès qu'elle fut assez grande pour aller ailleurs. Elle eut vite fait de repérer les rares bonnes tables du coin et avait organisé sa vie en conséquence.

Au petit déjeuner, elle se rendait généralement chez les Hunter qui se nourrissaient de mets légers et délicats. Puis elle allait courir sur la plage, saluer les sportifs qui partaient à la pêche, jouer un peu, par-ci par-là, avec l'un ou l'autre de ses amis.

Après ces exercices, elle se reposait jusqu'à l'heure du déjeuner et se rendait alors chez les Prichard qui géraient un petit bar-restaurant sur la mer : il y avait toujours là des plats copieux pour elle.

Elle faisait ensuite la sieste pendant les heures chaudes, et lorsque le soleil commençait à décliner, elle retournait folâtrer un peu sur la plage, jouer avec les autres chiens et entretenir des relations mondaines avec la bonne société humaine. Elle semblait apprécier la cuisine française car elle dînait assez souvent chez nous... quand les Jennings faisaient un plat au curry, notamment, qu'elle n'aimait pas, ou que Robin Bewg, mal luné, se contentait d'ouvrir une boîte.

Discrète, elle évitait de prendre deux repas consécutifs dans la même maison. Personne ne savait où elle allait dormir : quelque part dans la nature, à la belle étoile sans doute... les étoiles sont si belles sous l'équateur !

Finalement, sans être à quiconque, elle était devenue un peu la chienne de tous. Et le jour où on s'aperçut qu'elle attendait des petits, tout le monde se sentit concerné. Elle grossit normalement sous les yeux émus de la communauté entière et puis, tout à coup, elle disparut. Les Prichard, auprès desquels nous nous en inquiétions, nous rassurèrent :

– Les ghiriamas vont toujours se cacher dans la brousse pour mettre bas. Elle reviendra quand ses petits pourront la suivre.

Une semaine plus tard, une ombre se glissa sur la terrasse où nous finissions de dîner. C'était No-Name, ombre d'elle-même, efflanquée, squelettique, les yeux dilatés de souffrance et de privations. Elle esquiva nos caresses avec agacement en ayant l'air de dire :

– Je suis pressée et j'ai besoin de manger !

Elle engloutit rapidement une énorme assiettée de riz au poisson suivie d'une égale mesure de pain trempé dans du lait condensé sucré et s'évanouit dans la nuit comme elle était venue. Le lendemain elle se présenta chez les Prichard, le surlendemain chez les Jennings – c'était un jour sans curry –, le soir d'après elle liquida le ragoût de corned-beef que Robin Bewg s'était préparé pour la semaine, le soir suivant elle revint chez nous et nous fûmes heureux de voir à quel point, déjà, elle avait récupéré.

Quelques jours plus tard, enfin, à l'heure où le « Tout Turtle Bay » se réunissait autour du bar des Prichard pour l'apéritif de la mi-journée, on vit arriver No-Name, fière, la queue dressée, les mamelles ballottantes, arborant un sourire énorme – car les chiens savent sourire – et suivie d'un unique et adorable petit bâtard eurafricain. Elle le présenta à tout le monde, fit des tas de grâces et le « Tout Turtle Bay », tout content de la retrouver, tout apitoyé de ne lui voir que cette seule progéniture, se confondit en libations et en mélancoliques hypothèses sur le sort du restant de la portée. En attendant, No-Name

déjeuna de bon appétit, allaita publiquement son petit
– qui était d'ailleurs une petite –, la confia à
l'assemblée et alla faire la sieste sous un flamboyant.

Quand le soleil se mit à décliner, elle emmena
l'héritière sur la plage et la fit jouer avec les enfants
des hommes qui en tombèrent tous amoureux. Pour
la première fois, elle fit une entorse à ses principes
et dîna au restaurant afin de faire voir son bébé au
plus de monde possible. Et soudain on s'aperçut
qu'elle avait filé à l'anglaise... en « l'oubliant » !

Le lendemain elle se pointa de bonne heure et put
constater que le chiot avait été adopté par les
Prichard. On lui avait déjà donné un nom : Abouli,
mot swahili qui, je crois, a quelque chose à voir avec
la taille des oreilles. No-Name alla prendre son petit
déjeuner chez les Hunter et s'éclipsa. Quelques heures
plus tard, le « Tout Turtle Bay », réuni autour du bar
des Prichard pour l'apéritif de la mi-journée, se frotta
les yeux en voyant arriver No-Name, fière, la queue
dressée, suivie d'un adorable petit bâtard eurafricain... et Sister Anna fut adoptée par les Hunter.

Le jour suivant, l'arrivée de Brother Bill, frère des
précédentes, déclencha un rire général autour du bar.
Steve Smith dégringola de son tabouret et s'empara
de la petite bête en s'écriant :

– Adjugé !

Sonny Bumpus déclara qu'il se réservait les douze suivants pour lancer des chasses à courre à l'éléphant tandis que Robin Bewg affirmait qu'il en prendrait bien un, parmi ceux qui resteraient, pour prouver la valeur nutritive de sa recette de chaussons séchés sautés chasseur chauffés sur chandelle...

Mais No-Name, ayant placé toute sa portée, déjeuna de bon appétit, le cœur léger et l'âme à l'aise. Elle alla faire la sieste. Puis, quand le soleil se mit à décliner, elle alla faire un tour sur la plage...

Beaverbrook

Nous avions déjà dépassé Masindi et roulions à travers la forêt de Budongo, dans le nord de l'Ouganda, vers la *lodge* de Don Baggaley. Nous avions pris plus de deux heures de retard à cause d'un orage qui avait embourbé la piste et il était maintenant passé onze du soir. Le chauffeur de notre voiture de louage psalmodiait des choses plaintives qui nous parvenaient par bribes à travers le fracas de la carrosserie.

— Je ne vais pas rester là-bas, geignait-il. Mr. Baggaley est un homme inamical ! Il va me dire de dormir dans l'auto ! Et après y avoir passé toute la journée et la moitié de la nuit je n'ai pas envie d'y coucher ! Non, je retournerai à Masindi, tant pis ! Ça me fera une heure de route de plus ! J'essaierai de trouver une chambre et j'en serai de ma poche ! J'aurai peiné pour rien...

Et nous nous demandions si cette longue complainte ne s'adressait pas directement à notre portefeuille. En ce qui nous concernait, Mr. Baggaley n'avait aucune raison de nous faire coucher dans l'auto. Nous avions réservé une chambre avec salle de bains chez lui et cette réservation nous avait été confirmée par lettre. Pour l'instant, nous ne rêvions que de nous décrasser le gosier au bar de la *lodge* avant de nous décrasser de pied en cap sous la douche.

Notre arrivée fut saluée par l'obscurité et le silence.

— Ne descendez pas, souffla le chauffeur, les chiens de Mr. Baggaley vous mettraient en pièces !

Il klaxonna timidement et fit des appels de phare, éclairant une petite villa de briques. Soudain un cri

de femme retentit dans la nuit, un cri de souffrance et d'épouvante, suivi d'un autre, puis d'un autre, puis d'autres encore en un crescendo qui atteignit et dépassa les limites de ce qui est humainement supportable.

— Ce n'est rien, fit le chauffeur en réponse à nos balbutiements étranglés, c'est le cri d'amour du daman. Mr. Baggaley ne crie jamais : c'est un homme froid qui vous regarde à peine.

Un boy apparut enfin qui, ayant écouté nos explications, courut prévenir Mr. Baggaley. L'inquiétant personnage ne tarda pas à surgir de l'ombre : taille moyenne, chaussures blanches, chaussettes blanches, short blanc, chemisette blanche, des lunettes, la quarantaine et l'air d'un maître d'école. A moins qu'il n'ait limé ses canines, rien ne semblait l'apparenter à Dracula ni aux hommes-loups. Tant mieux !

Je m'excusai de notre arrivée tardive tout en exprimant l'espoir que nous ne l'avions pas réveillé.

— Je lisais, dit-il.

— Un bon livre ? m'informai-je poliment.

Mr. Baggaley ne parut pas sensible à mes efforts engageants.

— Au cas où cela vous intéresserait vraiment,

répondit-il du ton de quelqu'un qui en doute fort, il s'intitule *L'alimentation des enfants du premier et deuxième âge*. Maintenant si vous voulez bien me suivre...

Il nous conduisit à une autre petite villa de briques et nous montra notre chambre qui s'ouvrait sur une petite terrasse particulière donnant de plain-pied sur le jardin.

— Vous voici chez vous, dit-il en nous remettant la clef de la maison, le petit déjeuner vous sera apporté à huit heures et le déjeuner à midi et demie...

— Est-ce que le bar est encore ouvert ? demandai-je.

— Il n'y a pas de bar. Vous avez ici une kitchenette avec des couverts et des verres, et un réfrigérateur qui contient de la bière et des jus de fruits. Servez-vous. Si vous voulez des rafraîchissements plus corsés, vous pouvez les acheter à Masindi. Bonne nuit.

Le lendemain, tout en prenant le petit déjeuner sur notre terrasse, nous nous posions des questions au sujet de l'organisation de cette *lodge*. Elle se composait de quatre villas en briques disposées dans un grand jardin. En dehors des grandes villes, la plupart des hôtels d'Afrique orientale sont construits ainsi ; au lieu de former un seul bloc, les chambres et appartements sont morcelés en une série de cottages et de bungalows. Mais partout ailleurs, il y a un bâtiment central abritant la salle à manger et le bar où l'on peut, si l'on veut, échapper à la solitude de son logement, rencontrer les autres résidents et échanger quelques impressions avec eux autour d'un verre. Le patron s'y tient souvent : il présente les nouveaux arrivants et cherche à y entretenir une bonne ambiance propice aux libations lucratives. Ici rien de tel apparemment : en dehors du service, nous nous sentions aussi isolés que si nous avions loué une maison à la campagne. Et nous soupçonnions Mr. Baggaley d'avoir mis au point ce système afin d'avoir le moins de contacts possible avec sa clientèle.

— Bonjour, dit-il en se présentant à l'improviste, avez-vous tout ce qu'il vous faut ?

Le ton était uni et neutre comme une formule de politesse. A l'entendre on aurait pu croire qu'il n'y avait rien de plus naturel, pour un gentleman, que de faire ses visites matinales en tenant un biberon à moitié vide dans la main droite et un bébé chimpanzé dans le bras gauche.

— Oh quel amour ! s'écria Tiny-Weeny.

Pour la première fois, Don Baggaley nous adressa un sourire.

— C'est Lord Beaverbrook, dit-il.

En entendant son nom, le chimpanzé jeta ses bras autour du cou de son maître.

— Oh Beaverbrook, mon bébé ! murmura celui-ci en frottant sa joue contre le museau de la bête.

Le singe lui rota dans l'oreille.

— Et voilà ce que nous attendions, s'écria Don Baggaley en lui présentant le biberon. Bon ! enchaîna-t-il, j'étais venu vous dire que le déjeuner serait servi à midi et demie chez moi.

Et notre hôte nous quitta en nous laissant avec l'impression que, grâce à Tiny-Weeny, nous avions bien passé notre test.

Nous sirotions de la bière fraîche avec Don Baggaley au jardin. A côté de nous, langé de frais, Lord Beaverbrook, couché sur un tapis sur la pelouse, jouait avec une serviette éponge.

— Cette serviette est un véritable fétiche pour lui, nous expliqua Don Baggaley. Il a des tas de jouets avec lesquels il s'amuse, mais quand il veut se rassurer ou quand c'est l'heure de dormir, il lui faut sa serviette. Les bébés de l'homme, paraît-il, sont pareils.

– Lord Beaverbrook, ce nom nous dit quelque chose...

– Mais oui, il a été plusieurs fois ministre de Churchill pendant la seconde guerre mondiale.

– Ah !... Et quel rapport y a-t-il entre ce politicien et votre enfant ?

– Vous n'avez pas dû voir de photos du vieux Lord Beaverbrook, répondit Don Baggaley, vous vous en seriez souvenu.

– Ouh ! Ouh ! Ouh ! fit le petit Lord en s'agrippant au pied de la table et en se redressant maladroitement.

– Il a fait ses premiers pas hier, annonça Don Baggaley fièrement, c'est maintenant que je vais devoir l'avoir à l'œil... Hop !

Il retira vivement son bock au moment où Beaverbrook allait s'en saisir.

– Ouh ! Ouh ! protesta le singe.

– Allons, fit Don Baggaley en le prenant sur ses genoux, tu vas venir avec papa et te conduire comme un gentleman !

Beaverbrook ne demandait que cela :

– Ouh ! Ouh ! s'écria-t-il en tendant les bras vers la bière.

Don Baggaley changea de tactique :

– C'est bon, tu en veux, tu en auras ! Mais je te préviens, c'est amer et piquant !

Il porta le bock aux lèvres du singe.

– Ouh ! fit l'animal en en redemandant.

– Mais c'est qu'il l'aime, le petit démon !

– Ouh ! approuva Milord.

Don Baggaley soupira :

– Tu me fais honte, tiens !

Tout en tenant son bock pour ne pas qu'il se renverse, il l'abandonna au chimpanzé qui se mit à en mordiller les bords et, avec des grimaces épouvantables, à essayer d'y tremper sa lèvre supérieure.

– Il s'amuse, il ne prend rien vraiment, nous confia Don Baggaley comme s'il craignait notre désapprobation.

Mais un fruit permis n'a jamais autant d'attraits que celui qui est défendu. Lord Beaverbrook ne tarda pas à se lasser du bock. Il se hissa vers le cou de son maître et, câlin, y enfouit son museau.

– Oh ! Beaverbrook, mon bébé ! murmura Don Baggaley en le serrant dans ses bras telle une mère son enfant.

– Je ne sais pas si l'on peut dire que j'aime les animaux, reprit Don Baggaley, j'ai un respect de la vie animale qui m'empêche d'avoir envie de les

chasser moi-même, mais je comprends très bien
« l'instinct chasseur » qui fait que d'autres en ont
envie.

Les bêtes m'intéressent, et certaines plus que
d'autres, mais pas au point d'en devenir sentimental.
J'ai toujours aimé regarder les chimpanzés dans la
forêt qui entoure ma maison. J'admire leur comporte-
ment, qui est si... civilisé : ils ne sont pas destructifs
comme les babouins et tant d'autres singes... et tant
d'humains aussi. La façon dont ils protègent leurs
petits et s'en occupent, leur esprit de solidarité, la
spontanéité avec laquelle ils se portent secours me
fascinent. Et lorsque, voici quatre mois, on m'a
apporté ce petit orphelin nouveau-né pesant juste
un kilo et quart, je l'ai accepté comme un défi, décidé
à tout faire pour le garder en vie. Il ne s'agissait encore
que d'une obligation que je m'imposais...

Don Baggaley hésita avant d'ajouter :

— Maintenant c'est différent, et je crois que si je le
perdais je me sentirais bien seul.

Il but une gorgée de la bière où avait salivé Lord
Beaverbrook.

— Je ne me suis jamais marié et je n'aime pas les
bébés. Quand je vois ces grosses petites larves qui
têtent, bavent, rotent et se souillent, ce que je ressens

surtout c'est du dégoût. Et je suis surpris, chaque fois que j'y pense, de constater qu'il ne m'est pas pénible de changer et de laver les langes de Beaverbrook. Oui, je les lave moi-même. Je donne à laver mon propre linge, celui de mes clients et la lingerie de ma *lodge*, mais cette petite bête est la seule chose au monde dont je me sente véritablement et entièrement responsable.

Bien entendu, c'est moi aussi qui lui prépare ses repas, ce qui, au début, n'a pas été sans me causer des inquiétudes. Aucun des livres sur les singes que j'avais lus ne traitait de cette question alors vitale pour Beaverbrook : comment nourrir les bébés orphelins. J'ai donc suivi les conseils du médecin de Masindi : je l'ai nourri comme un bébé humain.

Au début j'étais malhabile comme n'importe quel célibataire endurci qui hériterait tout à coup d'un nourrisson. Préparer un biberon était, pour moi, une épreuve d'adresse et un sujet d'angoisse tant j'avais peur de me tromper dans les doses, la température ou autre chose. Mais la dextérité m'est venue avec la pratique et la bonne santé de mon enfant m'a donné confiance en moi. Pour en arriver là j'ai dû apprendre, presque du jour au lendemain, toutes les choses qu'une mère moderne a le loisir d'assimiler au cours de ses neuf mois de grossesse : à langer, à torcher, à poudrer, à biberonner... Les femmes de mes amis m'ont montré comment faire, on m'a prêté des livres de puériculture, le pharmacien m'a inondé de conseils et de prospectus, le médecin, très gentiment, m'a rédigé un petit cours de pédiatrie pratique et a promis de soigner Beaverbrook s'il était malade.

Il s'est formé, autour de nous, comme un réseau de solidarité, et j'ai compris que le cœur de l'homme n'est pas aussi sec qu'on le croit souvent. J'avais pensé qu'on se moquerait de moi parce que je ne sors plus le soir pour ne pas le laisser seul. Évidemment, on me taquine un peu, mais amicalement. Pour ma part, j'aime ces soirées tranquilles que je passe avec Beaverbrook à jouer et à bouquiner en attendant le dernier biberon et ma vie d'autrefois me paraît, à présent, un peu vide et factice. Le premier cap difficile a été franchi, et c'était le plus dur.

Maintenant, à moins d'une malchance, aucun problème majeur ne devrait se poser avant cinq ans. A cet âge, les chimpanzés changent parfois de caractère, deviennent irascibles et brutaux et il n'y a pas d'autre solution alors que les confier à un zoo. Mais on arrive presque toujours à déceler ces prédispositions, même chez les très jeunes individus. Or Beaverbrook n'en présente aucune : son intelligence éveillée, son humeur égale et affectueuse sont, au contraire, chargées de promesses. A mesure que le temps passera, nos âges se rapprocheront car le chimpanzé vieillit deux fois plus vite que l'homme. Dans quarante ans nous serons de la même génération : deux octogénaires qui s'apprêteront à quitter ce monde comme ils y auront vécu, la main dans la main...

Oh Beaverbrook, Dieu fasse qu'il en soit ainsi !

Pipite
la mangouste

Il arrive que le langage trahisse la pensée, surtout quand on se sert d'un langage qu'on ne possède pas à fond.

Ainsi la jolie Jill Becker du *Seafarer's Hotel*, sur la côte du Kenya, avait un jour commandé des crevettes au pêcheur du coin et ceci dans son swahili le plus recherché. Quelle ne fut pas sa surprise quand le pêcheur, en guise de crevettes, lui livra deux bébés mangoustes dans une caisse en carton ! Il est vrai que, même en français, mangouste et langouste peuvent se confondre phonétiquement, mais toute ressemblance s'arrête là. Jill nous invita à jeter un coup d'œil sur le contenu de la caisse.

— Elles mourront si personne ne les prend, ajouta-t-elle sournoisement.

En fait, les deux petites bêtes étaient si malingres et mitées qu'on pouvait se demander si elles survivraient de toutes les façons. L'une d'elles, en particulier, était vraiment microscopique et couverte de cicatrices, avec une balafre sur la tête qui lui fermait l'œil gauche.

— Comment est-ce qu'on les nourrit à cet âge ?

Une amie de Jill intervint : elle avait élevé des tas d'animaux divers et même travaillé quelque temps dans un zoo.

— Ce sera difficile, avoua-t-elle, il faudrait essayer de leur faire prendre du lait et du glucose dans un biberon de poupée.

Où trouver du glucose et un biberon de poupée dans ce bled ?

— Nous avons du glucose. Vous pourriez essayer de tremper un coin de mouchoir dans la mixture et le leur faire sucer.

– Pite ! Pipite !... s'écrièrent les petites bêtes au fond de leur boîte.

Et c'est ainsi que, notre caisse de mangoustes dans les bras, nous sommes partis pour notre bungalow avec du lait, du glucose et les meilleurs vœux de tous.

Les petites mangoustes se laissaient gentiment manipuler mais ne manifestaient aucun enthousiasme pour leur repas. Si elles se léchaient le museau quand une goutte y tombait, il semblait que ce fût uniquement pour s'en débarrasser.

« Ça n'a pas le goût du lait maternel », pensions-nous, « nous ne les sauverons pas. »

Cependant elles piaillaient toujours en découvrant une minuscule denture de fauve. Si bien qu'en désespoir de cause je suis allé à la cuisine demander de la viande crue que j'ai découpée en morceaux. Le succès dépassa nos espérances. Nos mangoustes se jetèrent sur la viande avec des rugissements aigus. La grande en dévora la moitié de son propre volume et la petite un peu plus. Puis, gavées, le ventre rebondi, elles s'endormirent l'une sur l'autre.

Il existe plusieurs espèces de mangoustes dont certaines peuvent dépasser les dimensions d'un chat. Les nôtres appartenaient à la plus petite espèce qui ne dépasse guère les vingt-cinq centimètres queue comprise. Il est improbable que d'aussi petits animaux puissent avoir raison d'un cobra adulte comme le fit le Rikki-Tikki-Tavi de Kipling, mais leur odeur seule suffit, paraît-il, à éloigner les serpents. Elles sont, malgré leur taille modeste, d'une intrépidité à vous donner des sueurs froides. Personne n'a pu nous renseigner sur leur longévité.

– C'est toujours leur curiosité qui les tue, nous expliqua-t-on.

En principe, elle devraient vivre au moins aussi longtemps qu'un chien ou un chat car leur croissance est plutôt lente.

Nos deux adoptées s'adaptèrent à la vie d'hôtel comme si elles y avaient été prédestinées. Elles gazouillaient toute la journée et ne s'arrêtaient que pour dormir. Nous avions l'impression de vivre dans une volière car elles disposaient de toute une gamme de cris différents qui semblaient provenir de partout à la fois. Et nous nous demandions comment ces mangoustes parvenaient à subsister dans la nature en signalant tout le temps leur présence comme elles le faisaient. Jusqu'à ce que nous nous soyons rendus compte qu'elles étaient ventriloques et qu'il était impossible de repérer leur position en se fiant à leurs cris :

– Pite ! Pipite ! Plic ! Cuic ! Hi-hi-hi !

Nous avions beau savoir qu'il n'y en avait que deux, nous avions toujours l'illusion d'être cernés.

Elles étaient deux femelles. Leur boîte, que nous avions couchée sur le flan et garnie d'herbes sèches, leur servait de dortoir quand elles ne parvenaient pas à se glisser dans un placard ou dans une de nos valises. On nous avait expliqué que les mangoustes étaient des animaux propres, qu'il suffisait de repérer le coin qu'elles avaient choisi pour faire leur besoins et d'y placer une assiette pleine de sable pour que la question soit réglée. C'est ainsi que nous avons placé une assiette derrière la porte, puis une autre sous notre lit, une troisième ensuite au fond d'un placard qui ne fermait pas et une quatrième enfin dans la salle de

bain... Nous espérions qu'avec l'âge elles apprendraient à salir moins de vaisselle.

Leur alimentation ne soulevait aucun problème, sinon d'ordre diplomatique. En effet, qu'on leur servît des œufs mollets, de la viande ou du poisson crus, il fallait toujours, au préalable, diviser la nourriture en deux parts égales et les présenter simultanément et séparément pour éviter les bagarres. Par-dessus toutes choses, elles raffolaient de sauterelles, de papillons, de mille-pattes et autres petites bêtes de ce genre. Mais là encore il fallait apporter les proies deux par deux, faute de quoi elles risquaient de ne rien manger du tout. C'est ainsi qu'un matin nous avons été réveillés par des cris de rage : au milieu de la pièce nos mangoustes se crêpaient furieusement le chignon tandis qu'une grosse tarentule en profitait pour prendre le large en boitillant.

En dehors des repas elles s'entendaient très bien. A la queue-leu-leu elles exploraient tous les recoins du bungalow et se serraient l'une contre l'autre pour dormir. De temps en temps elles se battaient pour s'amuser, avec de véritables éclats de rire. Un après-midi, en rentrant chez nous, nous fûmes accueillis par des piaillements de triomphe, mais où étaient-elles ? Nous avons cherché sous tous les meubles, dans tous les placards, dans toutes nos valises... En levant enfin les yeux, nous vîmes deux petites têtes qui nous regardaient du haut d'une armoire ! Elles y étaient montées en utilisant l'espace entre le mur et le dos de l'armoire et semblaient très fières de leur exploit.

Elles n'avaient pas du tout le même tempérament. Cacahuète, la grande, se montrait d'un caractère beaucoup plus timide et sauvage. C'était toujours la petite Pipite qui conduisait les expéditions à travers le bungalow. C'était elle, généralement, qui attaquait sa sœur pour lui chiper sa nourriture. Cacahuète ne recherchait pas les contacts humains. Elle ne venait à nous que quand nous lui apportions quelque chose à manger. Elle ne consentait à se laisser caresser et à jouer avec nos doigts que lorsqu'elle s'était mise à l'abri sous un meuble. Pipite, au contraire, nous grattait les pieds, grimpait sur nos genoux et adorait les caresses.

Elle y offrait tout son petit corps, se couchait sur le dos et ronronnait de plaisir.

Comme la fin de notre séjour en Afrique approchait, nous remarquions un changement subtil intervenir dans l'attitude de certains amis à notre égard. Nous avions l'impression d'être de riches moribonds dont on convoitait l'héritage. Que comptions-nous faire de nos mangoustes quand nous repartirions pour la France ?

– Il vous faut une autorisation pour les sortir du pays, nous disait-on, et elle ne vous sera jamais accordée à temps maintenant.

L'idée de les passer clandestinement nous parut bien peu réaliste tant elles étaient bruyantes. Et si, par miracle, nous réussissions, la vie dans notre appartement parisien deviendrait fort compliquée avec des pensionnaires aussi indisciplinées.

– D'autre part, ajoutait-on, elles ne sauront pas se débrouiller toutes seules dans la nature.

Nous nous étions donc résignés, raisonnablement quoique à regret, à les confier à quelqu'un avant notre départ lorsqu'une remarque de notre amie Marujin Pignatelli nous ouvrit de nouveaux horizons.

– Il paraît que vous voulez vous séparer de vos mangoustes, nous dit-elle, je serais contente d'en

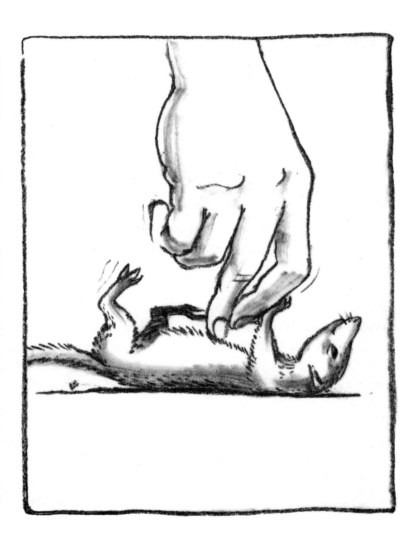

prendre une, mais pas les deux : deux mangoustes ensemble ne s'apprivoisent pas.

— Comment ça ?

— Comment ça ! Vous ne saviez pas ? Pour qu'une mangouste s'apprivoise vraiment, il ne faut pas qu'il y en ait d'autres avec elle.

C'est ainsi que Cacahuète Gantès vécut un conte de fées et devint Princesse Pignatelli.

Il nous restait deux semaines pour voir comment Pipite réagirait à sa nouvelle condition et si Marujin avait raison.

Pendant les premières heures, elle parut un peu perdue, se demandant où était sa sœur. Nous la gavions de sauterelles et elle se rendit bientôt compte qu'elles étaient toutes pour elle maintenant, ce qui, mon Dieu, n'était pas si mal. Nous avons passé toute la journée avec elle, mais le soir, quand nous nous sommes mis au lit et qu'elle se retrouva seule, ce fut l'effondrement. Pathétique petite silhouette au milieu du carrelage, elle levait la tête vers nous en piaulant plaintivement. Tiny-Weeny se pencha hors du lit et lui tendit la main. Pipite y sauta, s'engouffra dans la manche de son pyjama, ressortit par le col et se mit à jouer avec ses tresses en gazouillant. Puis elle plongea sous les couvertures, explora quelque temps ce nouveau domaine, se nicha enfin contre ma cheville et s'endormit.

Désormais l'habitude était prise : chaque soir, en rentrant après le dîner, le même petit renflement parcourait le drap, venant du fond du lit, et Pipite sortait la tête pour nous accueillir et nous appeler. Dès que nous venions, notre toilette finie, elle repartait au fond du lit pour se battre avec nos orteils. Cet exercice, qui nous chatouillait horriblement, durait à peu près un quart d'heure, après quoi elle remontait se faire dorloter. Bientôt enfin, engourdie de caresses, elle nous disait bonsoir, redescendait au pied du lit, se couchait à plat ventre en travers d'une de nos chevilles et s'endormait. Du fait de sa présence, notre sommeil était devenu une chose criblée de voyants rouges subconscients qui nous interdisaient tout mouvement inconsidéré de crainte de l'écraser. A cause d'elle, nous nous sommes résignés à subir la tradition britannique du thé matinal, car elle aimait bien boire un peu de lait tiède à six heures du matin.

La salle de bain l'intriguait énormément, et chaque fois que l'un d'entre nous prenait un bain, elle était

là, tête levée, à se demander ce que nous faisions
là-dedans.

– On partage bien le lit, semblait-elle dire, alors
pourquoi pas ça ?

Si bien qu'un jour, en grimpant le long de la sortie
de bain qui pendait à proximité, elle réussit à sauter
dans la baignoire où je mijotais avec béatitude. A
entendre les cris d'indignation qu'elle continua de
pousser longtemps après en avoir été sortie et séchée,
on aurait pu croire qu'elle nous reprochait quelque
chose.

Elle se posait un monde de questions aussi,
notamment au sujet des w.-c., cette espèce de grande
fleur blanche qui servait parfois de siège, qui grondait par moments et dont elle ne connaissait que
l'extérieur. Elle aurait bien voulu y grimper, mais ses
petites pattes glissaient sur la porcelaine. Alors on la
voyait tourner autour de l'objet, se reculer, s'avancer
avec des attitudes de joueur de volley-ball au filet,
essayant d'évaluer la bonne distance pour sauter mais
se rendant compte que c'était toujours au-delà de ses
possibilités.

– Pensons à rabattre le couvercle, recommanda
Tiny-Weeny, elle finira bien par arriver à grimper !

Nous étions bien obligés de la laisser seule par

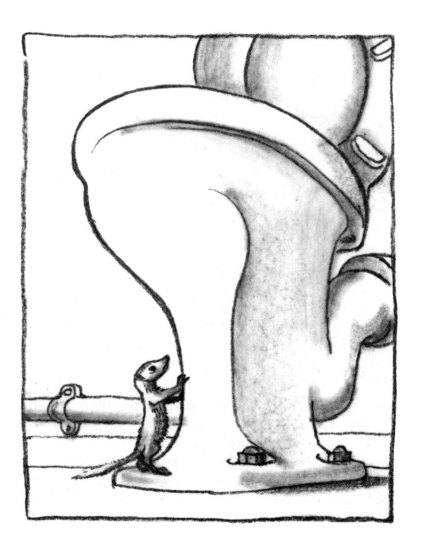

moments et de tout fermer pour ne pas qu'elle sorte. Elle se mettait alors à la fenêtre pour nous regarder partir et nous la retrouvions souvent là à notre retour. S'il n'y avait pas eu tellement de chiens et de chats dans les parages, nous aurions pu laisser la chambre ouverte. Certes, on nous avait dit que les trois animaux pouvaient très bien s'entendre, mais Pipite était si petite qu'elle n'aurait pas eu son mot à dire en cas de désaccord. Aussi, lorsqu'elle sortait, c'était sous notre surveillance. Elle n'aimait pas les terrains découverts où elle devait se sentir vulnérable. En revanche elle adorait explorer les buissons. Notre obsession était de l'empêcher de pénétrer dans la vraie brousse sauvage où nous ne pouvions la suivre, où elle oubliait toute notion de temps, restait sourde à nos appels et nous laissait attendre des heures dans l'inquiétude.

Son appétit, lorsqu'il s'agissait de mets qu'elle aimait, était stupéfiant. La quantité de sauterelles qu'elle pouvait engloutir tenait de la prestidigitation. Un jour, en rentrant dans notre chambre, Pipite ne vint pas à notre rencontre comme elle le faisait d'habitude. Elle était sous le lit, « attablée » devant le quart postérieur d'un gros lézard dont la queue remuait encore.

Elle nous jeta un regard un peu brouillé, eut un hoquet et courut au coin où se trouvait son assiette de sable. Là elle restitua un paquet qui, proportionnellement, aurait pu correspondre à quatre poulets, os compris, s'il s'était agi de vous ou de moi ! C'est la seule fois où nous l'avons vu déborder.

En parlant d'assiettes de sable, précisons que Pipite n'en utilisait plus qu'une seule depuis le départ de sa sœur. Sans doute avait-il existé une sorte d'émulation qui cessa dès la séparation des deux concurrentes. Nous étions contents de voir comme elle était propre, mais il nous fallut quelque temps pour nous rendre compte à quelles exagérations cela pouvait conduire.

Un après-midi que nous jouions avec elle devant notre bungalow, elle nous quitta brusquement, traversa la pelouse en courant et se précipita dans la chambre. Rien autour de nous ne semblait avoir pu provoquer cette réaction. Nous sommes donc allés voir ce qu'elle faisait et l'avons trouvée accroupie sur son assiette : elle avait si bien pris l'habitude de faire ses besoins dans la chambre qu'elle ne concevait plus qu'on pût les satisfaire en plein air... sauf, évidemment, en cas de force majeure.

C'est ainsi qu'un matin où nous faisions des courses à Malindi, la ville voisine, avec Pipite sur notre épaule, elle se mit soudain à crier et à s'agiter. Ayant pu constater que nous ne comprenions strictement rien à ce qu'elle disait, elle se décida à sauter à terre où, aussitôt, elle fit pipi. Mais ensuite, comme honteuse, elle se glissa sous la chemise de Tiny-Weeny et y resta cachée plus d'une demi-heure.

Un jour vint qui était celui du départ. Nous étions à l'aéroport, attablés devant un dernier verre avec Michel Chanu, un ami de France établi au Kenya.

– Quoi ! Vous amenez votre mangouste à Paris ? fit-il ahuri, en voyant soudain la tête de Pipite émerger du décolleté de Tiny-Weeny.

– Ben oui : elle est tout à fait apprivoisée maintenant et les douaniers ne la remarqueront pas sous notre chemise.

– Il s'agit bien de douaniers, répliqua Michel, je

vous demande ce que vous allez en faire, là-bas à Paris !

— Eh bien nous l'installerons dans l'appartement, nous la promènerons quand il fera beau, nous l'emmènerons à la campagne...

— Ouais ! A moins de mettre du grillage partout, elle passera par les fenêtres, courra le long des corniches et rendra visite aux voisins qui la prendront pour un rat ! Elle ira explorer les gouttières et tombera dans la rue...

— Nous arrangerons tout ça !

— Et puis savez-vous seulement si elle supportera Paris ? Rappelez-vous ces bêtes sauvages que les Parisiens traînent parfois au bout d'une laisse ! Il y a eu la mode des fennecs, de pauvres choses tremblantes, terrifiées, abruties, qui mouraient très vite de peur et d'asphyxie ! Après il y a eu les lionceaux et c'était si lamentable qu'il a fallu les interdire ! Vous embarquez votre petite dans une aventure qui peut lui coûter la vie, y avez-vous pensé ?

Il n'y avait rien de raisonnable à répondre à cela.

— Que veux-tu qu'on fasse ? murmurai-je, la gorge serrée.

— Faites comme moi, venez vivre ici !

Michel cueillit la mangouste sur l'épaule de Tiny-Weeny et se mit à la caresser.

– Moi aussi j'ai eu une mangouste, dit-il, c'est comme ça que j'ai appris à les aimer. Je vais vous la garder, ce sera une raison de plus pour vous faire revenir pour de bon !

L'heure des adieux était venue. Étant de bons Français, nous nous sommes embrassés à la bonne franquette. Pipite essaya de revenir avec nous, mais Michel la reprit.

– Non, Pipite, dit-il, tu restes avec l'oncle Mimi ! Papa et Maman reviendront bientôt !

Et Papa et Maman s'en allèrent très vite pour ne pas montrer qu'ils avaient les larmes aux yeux.

Pistache
dans le maquis

« Une mangouste peut très bien vivre en captivité à Paris. »

Cette affirmation péremptoire reçue d'une autorité parisienne compétente à notre retour d'Afrique nous parut d'un chauvinisme consternant. Il nous suffisait, en effet, de respirer, d'entendre, de lever nos yeux vers le ciel pour comprendre que, parlant des conditions de vie à Paris, « très bien » était de trop, aussi bien pour une mangouste que pour un humain. Notre regret n'était pas d'avoir laissé Pipite au Kenya mais de ne pas avoir eu la possibilité d'y rester avec elle. Aussi quand je vis, par une froide et grise matinée de novembre, une mangouste à vendre dans une des oiselleries du quai de la Mégisserie, toutes les joies que nous avait données Pipite me revinrent à l'esprit et il me sembla que cette petite bête nous était destinée. J'emmenai Tiny-Weeny la voir et pus constater qu'une parure de diamants lui aurait fait moins plaisir. Une demi-heure plus tard nous lâchions Pistache dans notre trois-pièces qu'elle se mit aussitôt à explorer.

Notre nouvelle chérie, quoique nettement plus petite qu'un chat, était d'une espèce plus grande que la précédente. Elle était plus jolie, il faut bien le reconnaître : plus élancée, avec la queue plus touffue. Mais à notre regret, elle ne gazouillait pas. Quoique jeune (cela sautait aux yeux), elle n'était plus un bébé : elle avait déjà des formes d'adulte et sa taille à peu près définitive. Réussirions-nous, à son âge, à

l'apprivoiser aussi bien que Pipite ? L'avenir seul pouvait nous l'apprendre.

Pour éviter de vous infliger la lecture, toujours fastidieuse, de ce journal de bord où les parents gâteux consignent minutieusement tous les faits et gestes de leur progéniture, nous allons tout de suite exposer la situation telle qu'elle se présentait six mois plus tard.

Sur tous les points où la volonté de Pistache s'était heurtée à la nôtre, c'est nous qui avions dû céder ou trouver un de ces biais par lesquels les faibles arrivent à leurs fins. Ainsi nous ne pouvions plus nous servir de nos corbeilles à papier car Pistache se les était appropriées et s'amusait à les rouler autour de l'appartement.

Les cendriers posaient un autre problème : dès qu'elle voyait un cendrier sale, elle se mettait en devoir de le nettoyer, éparpillant partout les mégots et les cendres.

Elle adorait les fleurs qu'elle emportait sous les meubles et qu'elle déchiquetait, si bien que lorsque l'on nous en apportait, nous devions les placer en un lieu élevé qu'elle ne pouvait atteindre ; elle restait alors de longs moments à les regarder envieusement, dressée sur son séant. A défaut de fleurs, elle se contentait de légumes, et, pour avoir commis l'imprudence d'avoir laissé un chou à sa portée, Tiny-Weeny le retrouva presque complètement émincé en revenant un quart d'heure plus tard.

Trouvait-elle un paquet, il fallait qu'elle le déchire pour voir ce qu'il y avait dedans. Fouineuse, fureteuse, curieuse, elle cherchait toujours à ouvrir ce qui était fermé, à vider ce qui était plein, à renverser ce qui était debout et lorsqu'elle réussissait à se faufiler dans un placard pour y mettre de l'ordre, c'était la catastrophe !

Si elle voyait quelque chose qui lui plaisait, elle le prenait et l'emportait dans une de ses cachettes : ainsi un jour le dentier de ma belle-mère !

Il nous avait fallu, bien sûr, mettre des grillages aux fenêtres, à travers lesquels elle observait les pigeons. Elle avait choisi deux coins dans la maison pour y faire ses crottes, mais entrait en fureur si nous tentions d'y mettre une boîte avec de la sciure. A la place, nous avons pu lui faire accepter des carrés de moquette taillés dans une chute et que nous lavions régulièrement. Par contre elle marquait d'un petit pipi vigilant tous les objets nouveaux qui entraient dans la maison. Pendant des semaines j'avais essayé d'être ferme : je la grondais et la poursuivais à travers l'appartement en l'arrosant à l'aide d'une poire en caoutchouc pleine d'eau : elle se réfugiait sous les meubles d'où me parvenaient ses répliques cinglantes :

– Rrrrr !... Rrrrr !... Ptfff !...

Devant la nullité des résultats que j'obtenais, je finis, de guerre lasse, par faire la paix.

Malgré ses défauts, notre petit démon nous paraissait extrêmement attachant. Dès qu'elle découvrit notre lit, elle l'adopta tout comme Pipite l'avait fait. Le matin, encore tout engourdie de sommeil, elle allait sauter sur le radiateur et s'étirait et bâillait et se chauffait suivant un rituel invariable. Pendant la matinée, elle vaquait à ses affaires sans trop s'occuper de nous.

L'après-midi, elle commençait à jouer : elle courait entre nos jambes, se battait avec nos pieds, avec nos mains, mordillant et griffant d'une façon souvent un peu trop impétueuse, quoique jamais méchamment. Elle insistait parfois tellement qu'il me devenait impossible d'écrire ou de taper à la machine. Mais à mesure que la journée passait, son humeur évoluait vers la tendresse.

Vers cinq heures, elle se mettait sur nos genoux pour être caressée, ou, si nous nous étendions pour lire, elle venait se coucher sur nous. Puis, vers huit

heures, elle soulevait le dessus-de-lit et se faufilait sous les couvertures pour la nuit.

A de rares exceptions près, elle se montrait distante envers les étrangers, sauf pour les tout jeunes enfants avec lesquels elle s'amusait à jouer à cache-cache et qu'elle traitait avec beaucoup plus de douceur que nous : elle semblait comprendre qu'ils étaient plus fragiles.

En revanche, ses contacts avec les chiens qui venaient parfois à la maison étaient franchement inamicaux et nous étions alors obligés de l'enfermer dans notre chambre où elle grattait à la porte et crachait, la queue toute hérissée.

Les seuls bruits qu'elle émettait, d'ailleurs, exprimaient la contrariété : « Rrrrr !... Ptfff !... » et des cris de rage aigus qu'elle poussait chaque fois que je mettais une certaine paire de chaussures avec laquelle je lui avais un jour marché sur la queue... Je finis par renoncer à les porter. Elle avait aussi un petit miaulement plaintif, « méo ! », pour nous demander quelque chose.

Elle connaissait son nom et levait la tête quand on l'appelait, mais ne venait que quand elle en avait envie. Autant elle savait exiger les caresses, autant elle savait les refuser lorsqu'elle avait d'autres idées en tête. A la différence de Pipite, elle n'aimait pas qu'on la ramasse, elle n'aimait pas être portée dans les bras ou sur l'épaule, elle ne glissait jamais sous notre chandail et se débattait quand nous l'y mettions.

Elle était toujours sur le qui-vive et, au moindre bruit suspect, nous quittait comme un éclair pour prendre position sous un meuble. Alors que pour Pipite, au contraire, nous étions la forteresse autour de laquelle elle établissait sa stratégie. De ce fait, il nous était impossible de sortir Pistache autrement que dans un panier. Mais à chaque semaine qui passait, certains petits progrès nous donnaient bon espoir de gagner, graduellement, son entière confiance.

Un mois et demi plus tard, le 1er juin, nous atterrissions en Corse chez des amis corailleurs qui habitaient une petite villa dans le maquis près de Pianottoli.

Pour éviter que Pistache se rende insupportable, nous avions demandé de loger dans l'annexe, une caravane dans le jardin. C'est là que nous comptions tenter une expérience décisive : mettre Pistache en contact avec la nature. Ou bien, comme nous l'espérions, elle rayonnerait autour de la caravane et y reviendrait comme un chat, ou bien elle s'en irait pour toujours, auquel cas, elle trouverait, dans la garrigue épaisse, de quoi se nourrir et s'abriter et un climat acceptable. En arrivant nous devions apprendre que la chatte de la maison venait de mettre bas dans la rocaille près de notre logement et n'était plus abordable de ce fait.

Ce contretemps nous obligeait à réviser notre projet et je m'en retournais à la caravane, pensif et embêté quand j'aperçus Pistache, sous une brouette, qui m'observait ! Comment diable avait-elle réussi à sortir alors que nous avions fermé la porte et fixé toutes les fenêtres ? Je courus chercher son panier pour essayer de la récupérer, et, en ouvrant la caravane, je me trouvai nez à nez avec... Pistache, toute fière de me montrer qu'elle savait ouvrir la trappe du plancher ! Je la refermai aussitôt et la recouvris d'une grosse pierre que Pistache se mit à gratter désespérément et en vain. Alors elle leva la tête vers moi et fit :

– Méo !

Indubitablement, elle ne voulait plus rester enfermée. Dès que possible nous l'invitâmes donc à entrer dans son panier pour l'emmener à la plage la plus proche. Il y avait là quelques îlots rocheux où elle pourrait, pensions-nous, faire ses débuts. Pataugi-

pataugea, nous pataugeâmes, cahin-caha, jusqu'à l'île la plus proche et relâchâmes Pistache. Aplatie, le poil hérissé, elle en fit rapidement le tour, remonta dans son panier et miaula.

– Amuse-toi donc, Pistounette !

Alors, voyant que nous nous obstinions à demeurer dans ce lieu ingrat, elle se jeta à l'eau et se mit à nager vers le rivage. Elle fit escale, à mi-chemin, sur un petit rocher grand comme une borne kilométrique. Je partis à la rescousse et la rejoignis.

– Viens, Pistounette, on va aller sur la plage !

Elle sauta sur mon épaule, grimpa sur mon chapeau et je repartis en direction de la rive. Mais ma progression était lente et hésitante car les fonds étaient glissants et l'eau si froide que je ne tenais pas à prendre un bain.

Aussi n'avais-je pas fait dix pas que Pistache, impatiente, plongeait de mon chapeau et achevait le trajet par ses propres moyens. Ayant mis pied à terre, elle courut aussitôt vers les broussailles qui bordaient le haut de la plage. Nous l'avons suivie en la photographiant pendant qu'elle explorait, tout excitée, ce paradis qui s'offrait à elle. Elle s'y enfonçait graduellement, sans plus faire attention à nous, et finit par y disparaître.

Voilà ! Que faire, que dire de plus ? Je partis avec Tiny-Weeny faire une longue promenade silencieuse le long de ce rivage presque désert, après quoi nous sommes revenus nous étendre mélancoliquement sur nos serviettes au soleil, la main dans la main. Deux heures s'écoulèrent ainsi lorsque Tiny-Weeny s'écria soudain :

— Elle est revenue !

— Il est cinq heures, dis-je tout content, c'est l'heure des caresses !

Mais aujourd'hui Pistache n'avait que faire de nos caresses. Elle ne voulait même pas jouer avec nous. Elle s'amusait comme une folle dans les buissons qui nous entouraient et venait nous surveiller de temps en temps. A six heures et demie nous avons essayé de lui faire comprendre qu'il serait temps de rentrer, mais elle ne voulait rien entendre. A sept heures nous y renoncions.

— Laissons-lui au moins son panier, suggéra Tiny-Weeny d'une voix désolée, qu'elle ait au moins quelque chose à elle pour la nuit...

Je plaçai le panier sous un buisson et Pistache, à notre surprise, y entra d'elle-même.

Les vacances de Pistache ne nous posaient désormais plus de problèmes. Le matin, après avoir mangé et accompli ses diverses petites affaires, elle sautait dans son panier et nous regardait en miaulant. Nous l'emmenions alors à la plage où elle disparaissait pour la journée et il nous suffisait d'être là à cinq heures pour l'accueillir.

Nous passions alors deux heures ensemble et, tous les jours, elle nous associait davantage à ses jeux de plein air. Nous ne lui apportions pas de nourriture car nous pensions que si elle finissait par choisir la liberté, il fallait qu'elle le fît en toute connaissance de cause : on ne trouve pas de bifteck dans le maquis et personne ne lui en apporterait quand nous serions partis. En revanche nous lui apprenions à chasser des criquets et des lézards.

Le retour du soir représentait toujours l'opération la plus délicate de la journée car Pistache, comme beaucoup d'enfants, se laissait difficilement persuader qu'il était déjà l'heure de rentrer. Certains soirs même, elle s'y refusait absolument. Il ne nous restait alors qu'à plier bagages et nous en aller. Elle nous suivait un peu, jusqu'à la lisière du maquis. Puis elle s'arrêtait, se dressait sur son petit derrière et nous regardait partir. Sa minuscule silhouette, éclairée par

le soleil couchant, s'amenuisait avec l'éloignement jusqu'à devenir imperceptible. Il nous semblait qu'elle nous demandait de rester avec elle, de passer cette nuit dans ses broussailles comme elle en avait passé tant d'autres dans notre lit ! Mais il faut, à un moment, savoir mettre un frein à son gâtisme.

Trois semaines passèrent ainsi et puis, un soir, Pistache ne revint pas. C'était tellement contraire à ses habitudes que nous avions toutes les raisons de craindre le pire : à quoi attribuer cette absence sinon à un empêchement et qu'est-ce qui aurait pu le provoquer sinon un piège, un coup de fusil ou un animal plus puissant qui l'aurait tuée ou blessée ? Au dîner nous fûmes de mornes convives, et, dans le courant de la nuit, Tiny-Weeny me confia qu'elle avait passé un contrat de cent francs avec saint Antoine pour qu'il nous la ramène saine et sauve.

A neuf heures du matin, nous débouchions sur la plage, à tout hasard. Avec, à titre exceptionnel, de la viande, de l'eau et du mercurochrome.

Et là nous attendait Pistache ! Elle courut à notre rencontre et nous fit un tas de fêtes. Elle ne voulut ni boire ni manger, mais quémanda des caresses en miaulant comme elle ne l'avait jamais fait. Au bout d'une demi-heure, cependant, elle repartit dans la garrigue et nous, de notre côté, sommes allés faire un tour en mer. L'après-midi elle ne revint pas, malgré nos appels : peut-être avait-elle adopté un nouvel horaire... Nous nous apprêtions à remonter en voiture quand une dame vint nous rejoindre en courant :

– C'est vous qui avez un drôle d'animal ? demanda-t-elle.

– C'est-à-dire que nous avons une mangouste...

– Je crois qu'elle est chez moi, dit la dame, venez voir...

Tout en nous conduisant vers sa maison, elle nous raconta ce qui s'était passé :

– Je cousais dans ma chambre quand j'ai entrevu quelque chose qui filait sous mon lit. J'ai cru que c'était un rat et je me suis penchée. Et puis j'ai vu cette drôle de bête... Tenez, la voilà !

C'était bien Pistache.

– J'ai eu peur qu'elle me morde ! avoua la dame.

– Pensez donc ! Vous allez voir comme elle est affectueuse ! Viens Pistounette !

Mais Pistounette se montra on ne peut plus froide et distante. Elle fit le tour de la maison, franchit la clôture du jardin et disparut dans le maquis profond qui régnait au-delà.

Personne ne l'a revue depuis.

Nous pensons qu'elle avait dû, la veille au soir, avoir une sorte de révélation : réussir, par exemple, à tuer un serpent et découvrir ainsi qu'elle pouvait subsister dans la nature par ses propres moyens. Le matin, poussée peut-être par saint Antoine, elle nous attendait pour nous faire ses adieux. Adieux à nous qui l'aimions et qu'elle aimait à sa façon, et aux hommes en général qui l'avaient capturée, mise en cage et vendue. La rencontre du soir n'était pas prévue : la page était tournée, Pistache retournait à la vie sauvage, elle ne voulait plus de nous.

Si vous allez à la plage de Pianottoli et qu'il vous soit donné de l'apercevoir, ne lui faites pas de mal, ne l'effarouchez pas : c'est la seule mangouste de Corse. Et peut-être, si elle se met en ménage avec une belette ou une fouine du coin, créera-t-elle une espèce animale nouvelle propre à l'île de Beauté.

Table

Le renard du soir 7
Petite tortue devenue grande 13
La triste histoire
    d'une petite guenon qui buvait 17
Les enfants de No-Name 21
Beaverbrook 31
Pipite la mangouste 47
Pistache dans le maquis 69

AUX QUATRE COINS DU TEMPS

 Aventure

 Aventure historique

 Conte fantastique

 Humour

 Légende

 Récit

 Roman

 Science-fiction

Déjà parus

A partir de 7-8-ans :

L. Carroll
La revanche de Bruno

N. Ciravégna
Chichois de la rue des Mauvestis

M. Dansel
L'homme aux chaussettes rouges

M.-R. Farré
Les murs ont des oreilles !

P. Gamarra
On a mangé l'alphabet !

P. Härtling
Oma

 On l'appelait Filot

 Ben est amoureux d'Anna

 C. et J. Held
Expédition imprévue sur la planète Erâs

 L'inconnu des herbes rouges

 P. Jammes
L'île aux quatre familles

 M. Kahn
De l'autre côté du brouillard

 L. J. Kern
Ferdinand le Magnifique

 G. Kuijer
Les bonbons sont faits pour être mangés

 P. Louki
Un papa pas possible

 Papa brûle les planches

 Papa court après le lion

 Le petit cheval

 Une grand-mère volante

G. Mac Donald
Contes du jour et de la nuit

La princesse légère

M. Paz
Papelucho

S. Prou
Caroline et les grandes personnes

J. Ruskin
Le roi de la rivière d'or

M. Waddel
Harriet et les crocodiles

A partir de 9-10 ans

J.-P. Andrevon
Le train des galaxies

I. Bachér
L'été des hommes-volants

G. Ben Aych
Le voyage de mémé

W. Camus
Légendes de la Vieille-Amérique

 La grande peur ᵧ

 W. Camus et J. Soulier
Le péril vient de la terre

 Face au péril

 C. Gutman
Pistolet-souvenir

 Toufdepoil

 La folle cavale de Toufdepoil

 T. Haugen
Les oiseaux de nuit

 Joachim

 P. Härtling
Vieux John

 N. Hawthorne
Le Premier Livre des Merveilles

 Le Second Livre des Merveilles

J. Held
La voiture sauvage

 Le fantôme du vicomte

 S. Jayat
La longue route d'une Zingarina

 M. Kahn
Un ordinateur pas ordinaire

 G. Kuijer
La maison au fond du jardin

 A la recherche de Lucie

 Les romans de Jonathan

 P. Leyris
La dame en écarlate

 P. Louki
Le parapluie de Monsieur Émile

 Croquignote

 G. MacDonald
La clef d'or

 Le cœur du géant

M. Mammeri
Machaho ! Contes berbères

 Tellem Chaho ! Contes berbères de Kabylie

 C. Nöstlinger
Le roi des concombres

 J. Ollivier
Récits des mers du sud

 Les flibustiers de l' « Arbalète »

 G. Ortlieb
L'arbre-serpent

 J. Prochazka
Jitka

 J. Queval
Tout est bien qui finit mieux

 S. Ray
Fatik et le jongleur de Calcutta

 M. Rouzé
La forêt de Quokelunde

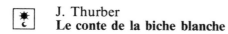

J. Thurber
Le conte de la biche blanche

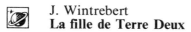

J. Wintrebert
La fille de Terre Deux